Título original: *Émile fait un cauchemar* | *Émile et les autres*

Edelvives Talleres Gráficos. Certificado ISO 9001
Impreso en Zaragoza, España

ISBN: 978-84-263-9472-9
Depósito legal: Z 1063-2014

Emilio
tiene una pesadilla

Texto: Vincent Cuvellier

Ilustración: Ronan Badel

Traducción: Diego de los Santos

EDELVIVES

Hoy...
Emilio ha tenido una pesadilla.

Emilio
CROK
CROK
GRAT

Ha sido horrible. Una pesadilla horrible.
Pero Emilio no ha tenido miedo.
Qué va. Nada de nada.

Y, sin embargo, era una pesadilla horrible.
Atroz. Con un lobo.

Un lobo, ¡qué horror!
De esos con ojos amarillos
y grandes colmillos.
De los que comen niños.

Menos a Emilio. Emilio no se deja comer.
Ni siquiera por un lobo.

—¿Qué tal, cariño? ¿Has dormido bien?
Pues claro. Emilio ha dormido superbién.
¿Una pesadilla? ¿Una pesadilla con un lobo?

Emilio no tiene pesadillas con los lobos.
¡Son los lobos los que tienen pesadillas con Emilio!

—No me gusta que veas películas de miedo antes de acostarte.

¿Películas de miedo? Bah, a Emilio no le dan miedo las películas de miedo. Emilio no le tiene miedo a nada.

—Esta noche puedo leerte un cuento de Nejo el Conejo...

¿Cómo? ¿Nejo el Conejo?

¿Un cuento de Nejo? ¿De Nejo el Conejo?

¡Los cuentos de Nejo el Conejo son para niños pequeños,
no para Emilio!

Por la noche...

UN DÍA, NEJO EL CONEJO ROSA SE PUSO MIMOSO
CON SU MAMÁ, QUE TAMBIÉN ERA ROSA.

—VOY A DARTE UN BESO Y ASÍ CONOCERÁS EL SECRETO DE LOS CONEJOS ROSAS —DIJO SU MAMÁ.

—¿Y CUÁL ES EL SECRETO DE LOS CONEJOS ROSAS?
—PREGUNTÓ NEJO.

—¿EL SECRETO DE LOS CONEJOS ROSAS?
—CONTESTÓ SU MAMÁ CON TERNURA—.
EL SECRETO ES...

—¿Estás bien, Emilio? ¿Has tenido una pesadilla, cielo?

¿Una pesadilla con Nejo? Bah, ¡nadie tiene pesadillas con Nejo el Conejo!

—Vale, ya lo pillo...

...Y ENTONCES EL HORRIBLE LOBO SE ZAMPÓ
A LOS BONITOS CONEJITOS ROSAS.

¡Cierra el libro,
dale la vuelta
y disfruta de otra historia!

¡Cierra el libro,
dale la vuelta
y disfruta de otra historia!

¿Ya? Pues vaya, por una vez que Emilio
juega con los demás...

¿Es hora de irse?

—Bueno, Emilio, ya es hora de irse.
¿Me has oído, Emilio? ¡Vamos!

—¡Pschtttttttttt! ¡Pschtttttttttt!

—¡PSCHTTTTTTTTT! ¡Pschttttttttt!

Flap, flap, flap...

Ya. Lo de su amiga Julia es diferente.
No es una amiga cualquiera. Es su amiga, y punto.
Bueno… Si va Julia, Emilio también puede ir.

—Bah. Tú dirás lo que quieras, pero tu amiga Julia sí te cae bien. Ella también estará con los demás.

¿Todos sus amigos? Le extrañaría. Emilio no tiene amigos.
Ninguno. ¿Y amigas? Aún menos.

—¡Sí, Emilio, tienes que ir! ¡No quiero que te pases el sábado entero encerrado! ¡Además, estarán todos tus amigos!

Hoy, Emilio tiene que jugar. ¡Jugar!
¿Qué os parece? ¡Jugar! ¡Y, encima, acompañado!
Emilio tiene que jugar con los demás.

Los Tapices
de la Edad Media

Emilio es un niño de lo más obstinado.
Cuando quiere algo, lo quiere
¡y no hay más que hablar!

Títulos de la colección:

Los títulos 5 y 6 contienen dos historias.

—Pío, pío, pío…

Al lado de esa anciana que parece simpática.

Prefiere ir a comerse el sándwich a un rincón.
Ahí no. Ahí tampoco. Ah, ese sitio es perfecto.

—Tranquilo, ya llegará. Mientras tanto, pásatelo bien. Volveré a buscarte a las cinco. Si pasa algo, díselo a la mamá de ese niño.

Emilio mira a esa mamá.

Además, Julia no está, y mamá había dicho que estaría.
¡Mentira! Me ha dicho una mentira. Mentir está mal.
Muy, pero que muy mal.

No, no es guay.
No tiene nada de guay.

—Vaya, has tenido suerte. Además, hace un día buenísimo. ¡Mira, están todos tus amigos! ¡Qué guay!, ¿no?

Bueno. Si va Julia y encima llevo un sándwich, vale.

—Deja ya de protestar y ven, te he puesto un sándwich.

Pero ¡ojo! No piensa jugar. Se quedará sentado
en un banco y mirará cómo juegan los demás.
Y no hay más que hablar.

Hoy...
Emilio tiene que jugar.

Emilio

y los demás

Texto: Vincent Cuvellier

Ilustración: Ronan Badel

Traducción: Diego de los Santos

EDELVIVES